글쓴이 **라 퐁텐(Jean de La Fontaine)**는 프랑스에서 태어난 시인이다.
이솝의 우화 등 여러 우화를 소재로 240편 가량의 우화시와 콩트를 썼다.
단순하고 교훈적이면서도 풍자적인 내용을 간결하고 정확한 문장으로
명쾌하게 표현하여, 몇백 년 동안 여러 나라의 독자들에게서 사랑받고 있다.

지은이 **브라이언 와일드스미스(Brian Wildsmith)**는 영국에서 태어난 세계적인
그림책 작가이다. 존 버닝햄, 찰스 키핑과 함께 영국을 대표하는 3명의 그림책 작가로 불리며,
특히 화려한 색채가 매우 인상적으로 색채의 마술사라고도 불린다. 1962년 《ABC》로
매년 영국에서 가장 뛰어난 그림책에 주는 상인 케이트 그리너웨이 상을 받았다.
대표작으로 《다람쥐》, 《토끼와 거북이》, 《달님이 본 것은?》 들이 있다.

옮긴이 **우순교**는 한국외국어대학교 영어학과를 졸업하였다.
옮긴 책으로 《말썽꾸러기 풍선 장수 할머니》, 《빨간 모자》 들이 있다.

세계 걸작 그림책 지크 19
바람과 해님

라 퐁텐 글 │ 브라이언 와일드스미스 그림 │ 우순교 옮김

초판 1쇄 발행 1996년 8월 30일 · **초판 25쇄 발행** 2016년 12월 31일
펴낸이 권종택 · **펴낸곳** (주)보림출판사 · **출판등록** 제406-2003-049호
주소 10881 경기도 파주시 광인사길 88 · **전화** 031-955-3456 · **팩스** 031-955-3500
홈페이지 www.borimpress.com · **ISBN** 978-89-433-0240-5 77840 / 978-89-433-0217-7(세트)

바람과
해님

바람과
해님

라 퐁텐 글 | 브라이언 와일드스미스 그림 | 우순교 옮김

어느 날 아침, 바람과 해님은

새 망토를 입고 말을 타고 가는
사람을 보았습니다.

바람은 대뜸 큰소리를 쳤어요.
"저 젊은 친구는 새 망토가
무척 마음에 드나 보군.
내가 마음만 먹으면 저까짓
망토쯤은 훌렁 날려 버릴 텐데
말이야."
그러자 해님이 말했어요.
"글쎄, 네 힘으로는 어림없을 것
같은데. 누가 저 망토를 벗기나
내기할까? 네가 먼저 해봐."

바람은 숨을 깊이 들이마시고,

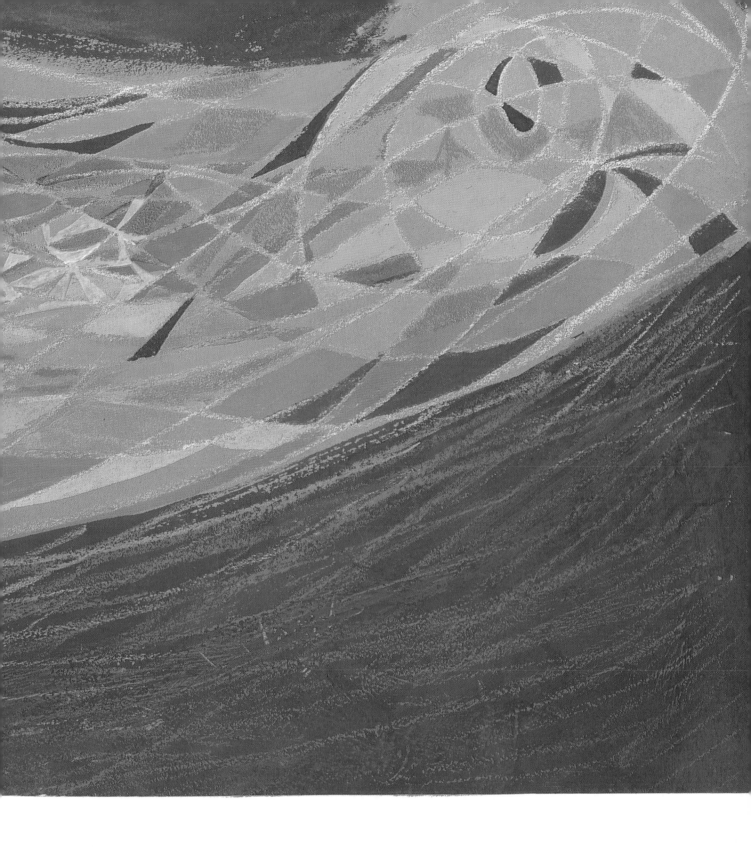

휘이잉, 휘이잉, 휘이잉, 세차게 불었어요.

사람들은
모자를
잡으려고
이리 껑충,
저리 껑충.

나뭇잎은 우수수 떨어지고

동물들은 모두 겁에 질려 갈팡질팡,

항구에 있던 배들도 물속으로 쑥쑥 가라앉았습니다.

바람은 온 힘을 다해
씽씽 불어 댔지만,
헛일이었어요. 말을 탄
사람은 망토를 더 꼭꼭
여몄는걸요.

"이젠 내 차례야."
해님이 말했습니다.

해님이 따뜻한 햇살을
비추었어요. 곤충들은
윙윙 날아오르고,
꽃들은 봉오리를
활짝 터뜨렸습니다.

새들의 노래가 울려 퍼지고,

동물들은 납작 드러누워 잠을 잤어요.

사람들은 밖으로 나와 도란도란 이야기를 나누었고요.

말을 탄 사람은 땀을 뻘뻘 흘리며
강으로 갔어요. 그러고는 옷을
훌훌 벗어 던지고,
물속에 풍덩 뛰어들었어요.

그래요. 바람은 힘만 자랑하다가 망토를 벗기지 못했지요.
하지만 해님은 따뜻하고 부드러운 햇살로 젊은이의 옷을
홀랑 벗길 수 있었답니다.